ぐるんぱの
ようちえん

これは　ぐるんぱが　かいた　じ　です

　ぐるんぱは、とっても　おおきなぞう。
ずうっと　ひとりぼっちで　くらしてきたので、
すごく　きたなくて　くさーい　においもします。

　ひとりぼっちの　ぐるんぱは、ときどき
「さみしいな　さみしいな」と　いって、
みみを　くさに　こすりつけたりしました。
　すると、おおきな　なみだが　ぐるんぱの
はなを　つーっと　ながれておちました。

　じゃんぐるでは、ぐるんぱを
かこんで、いま　かいぎの
まっさいちゅう。
　ぐるんぱが　くさいので、みんな
はなを、そらに　むけています。

　としよりぞうが　いいました。
「ぐるんぱは　おおきくなったのに
いつも　ぶらぶらしている」
　わかいぞうも　いいました。
「それに、ときどき　めそめそなくよ」

「では、はたらきに　だそう」
「さんせーい、さんせーい」

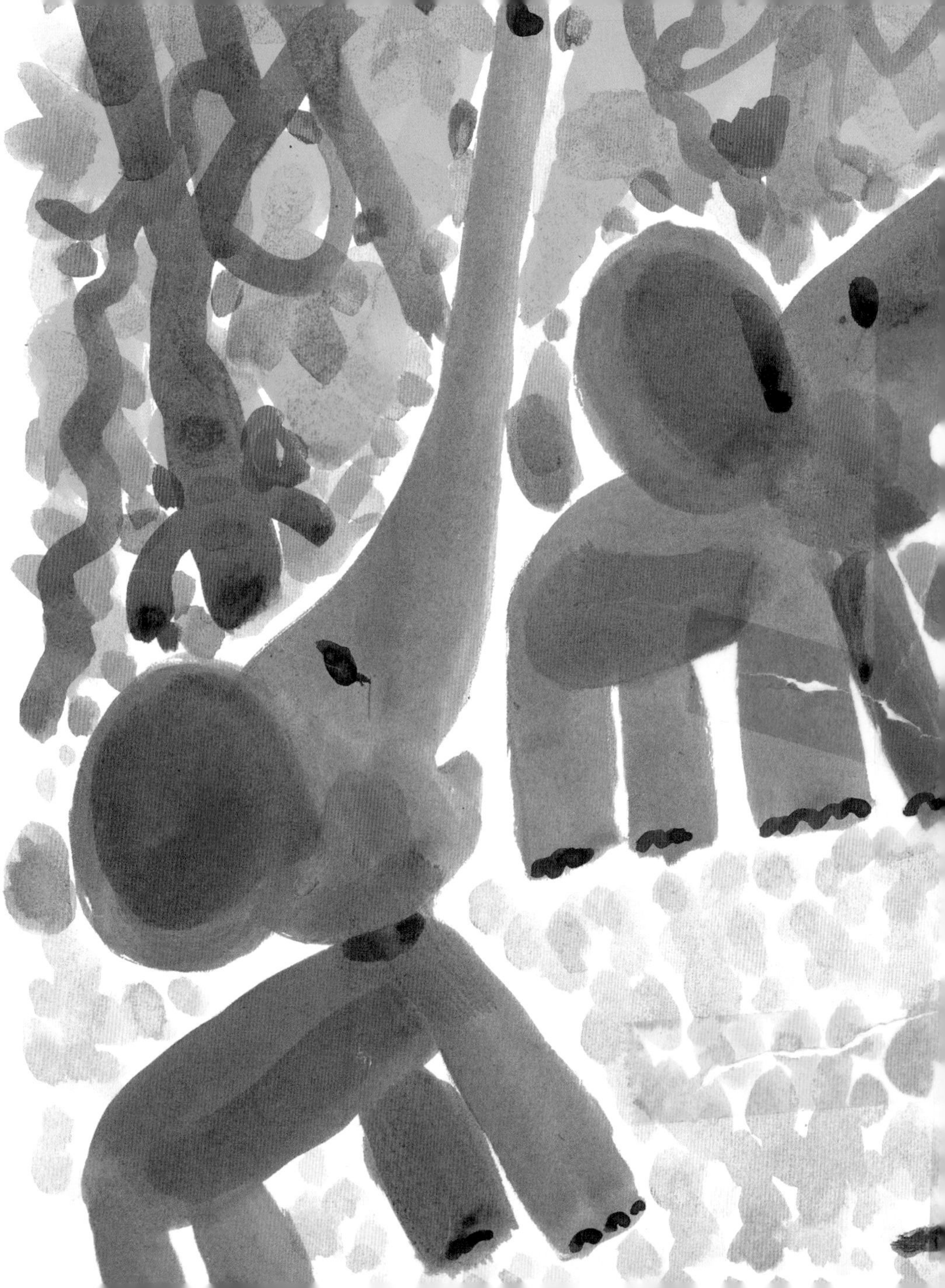

そこで、みんなは　ぐるんぱを
わっしょわっしょと、かわへ
つれていきました。

そして、たわしで　ごしごし
ぐるんぱを　あらって、
はなのしゃわーで　みずを
いっぱい　かけました。

ぐるんぱは、みちがえるほど
りっぱになりました。

さあ、にっこりわらって
しゅっぱつです。

　いちばんはじめに　ぐるんぱが　いったのは、
びすけっとやの　びーさんところ。

　ぐるんぱは　とくべつ　はりきって、おおきな
おおきな　びすけっとを　つくりました。
《とくだいびすけっと　1こ　いちまんえん》

　でも、あんまり　おおきくて　たかいので
だーれも　かいません。

　びーさんは、「もう　けっこう」
と　いいました。

　ぐるんぱは、しょんぼり。
とくだいびすけっとを　もらって、
でていきました。

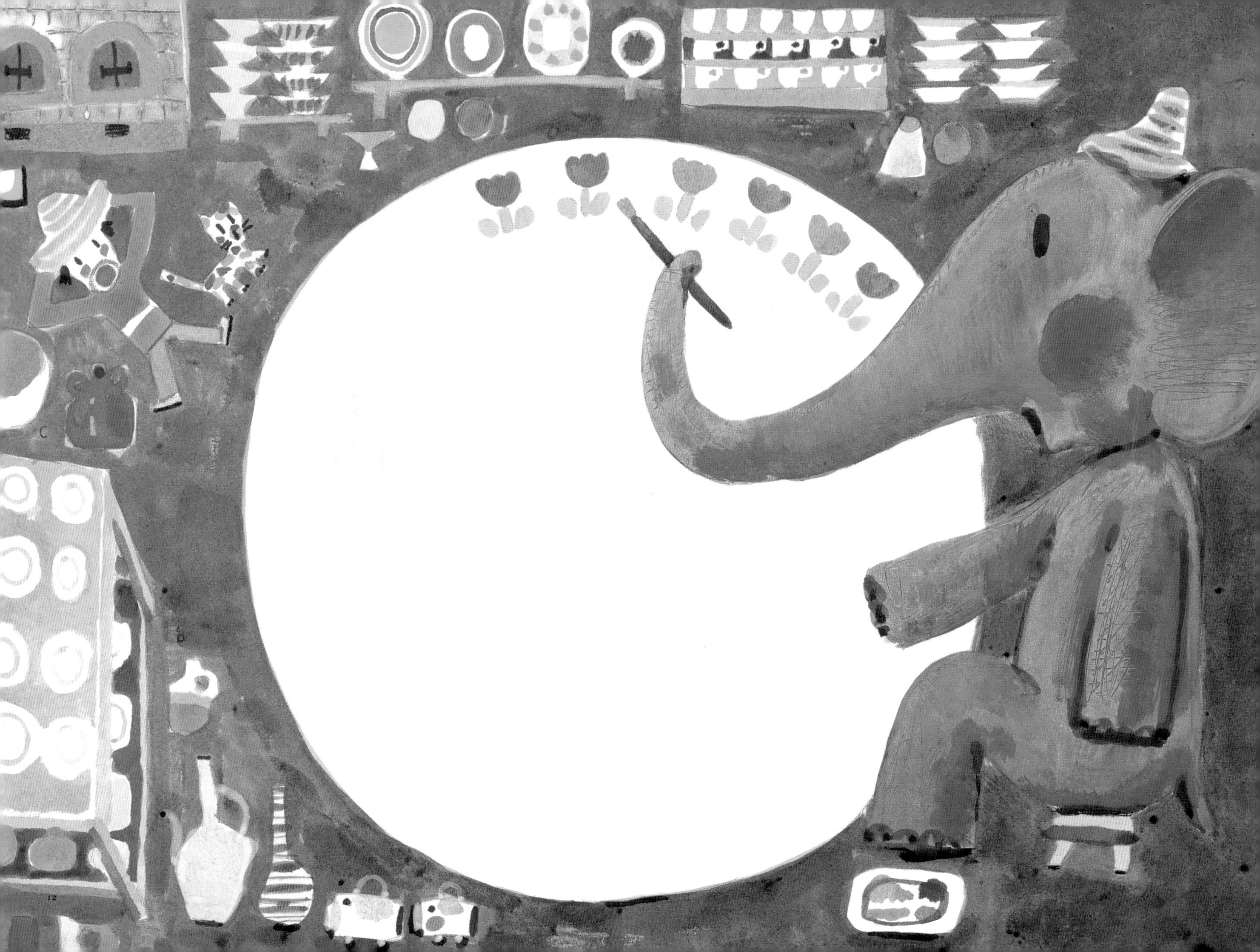

　そのつぎ、ぐるんぱが　いったのは、
おさらつくりの　さーさんところ。

　ぐるんぱは　とくべつ　はりきって、
おさらを　つくりました。

　ところが、おおきな　おおきな
おさら、いけみたい。

　こんな　おさらに　いれるほど
たくさんの　みるくは　ありません。

　さーさんは、「もう　けっこう」
と　いいました。

　ぐるんぱは、しょんぼり　しょんぼり。
びすけっとと　おさらを　かかえて、
でていきました。

SHOE
SHOE
SHOE
5
SHOE
SHOE
SHOE
SHOE

　そのつぎ、ぐるんぱが　いったのは、
くつやの　くーさんところ。
　ぐるんぱは　とくべつ　はりきって、
くつを　つくりました。
　ところが、おおきな　おおきな　くつ。
くーさんが　すっぽり　はいって
しまうくらい。だーれも　はけません。
　くーさんは、「もう　けっこう」
と　いいました。
　ぐるんぱは、しょんぼり
しょんぼり　しょんぼり。
びすけっとと　おさらと
くつを　かかえて、
でていきました。

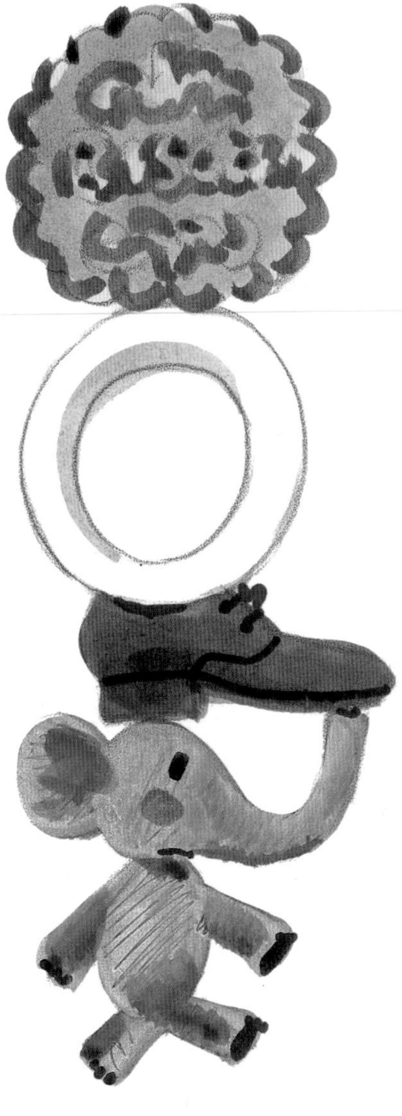

　そのつぎ、ぐるんぱが　いったのは、
ぴあのこうじょうの　ぴーさんところ。
　ぐるんぱは　とくべつ　はりきって、
ぴあのを　つくりました。
　ところが、おおきな　おおきな
ぴあの。ちょっとや　そっと
たたいても、おとが　でないので
だーれも　ひけません。
　ぴーさんは、「もう　けっこう」
と　いいました。
　ぐるんぱは、しょんぼり　しょんぼり
しょんぼり　しょんぼり。
びすけっとと　おさらと　くつと
ぴあのを　かかえて、
でていきました。

　さいごに、ぐるんぱが　いったのは、
じどうしゃこうじょうの　じーさんところ。
　ぐるんぱは　ここでも　とくべつ　はりきって、
すぽーつかーを　つくりました。
　ところが、おおきな　おおきな　すぽーつかー。
のってみた　おきゃくさんが、
「まえが　みえなくて　うんてんできないよー」
と　さけんだので、じーさんも、「もう　けっこう」
と　いいました。

ぐるんぱは、
しょんぼり
しょんぼり
しょんぼり
しょんぼり
しょんぼり。
ほんとに　がっかりして
びすけっとと
おさらと
くつと
ぴあのを
すぽーつかーに　のせて、
でていきました。

また、むかしのように
なみだが　でそうに
なりました。

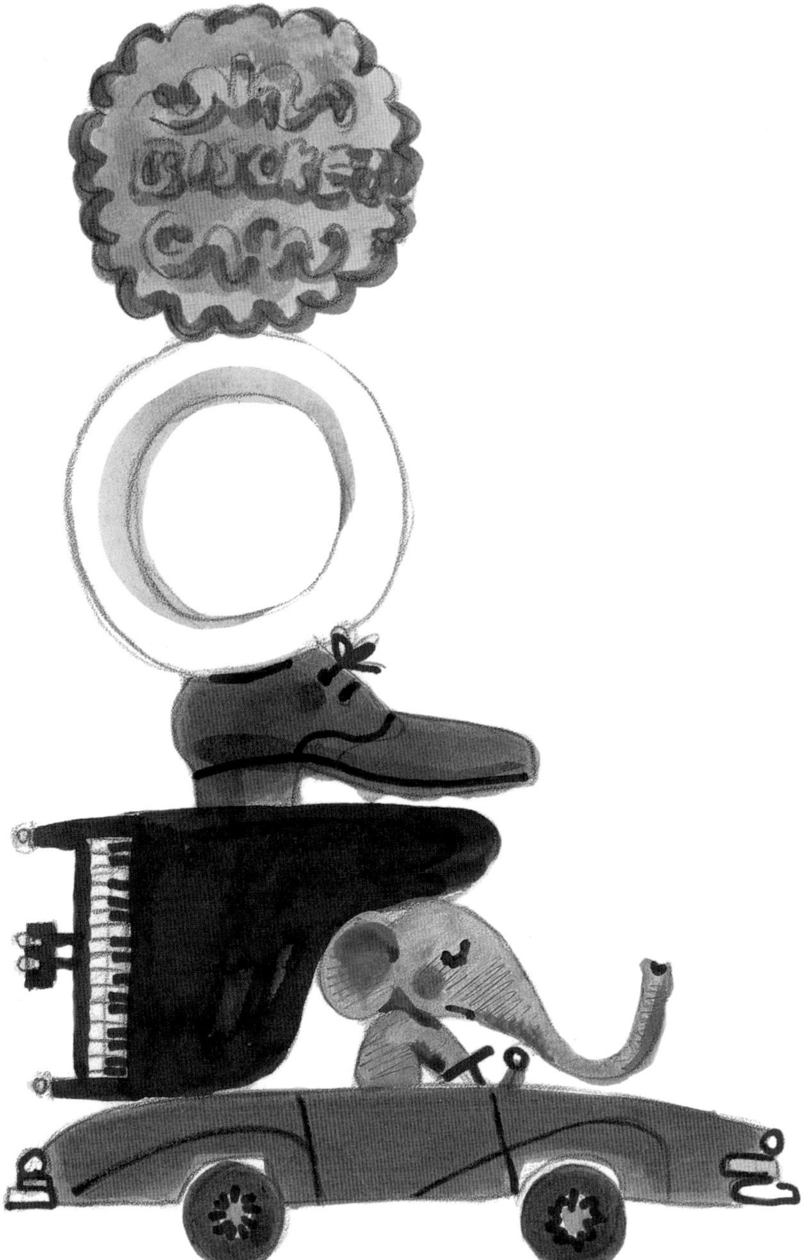

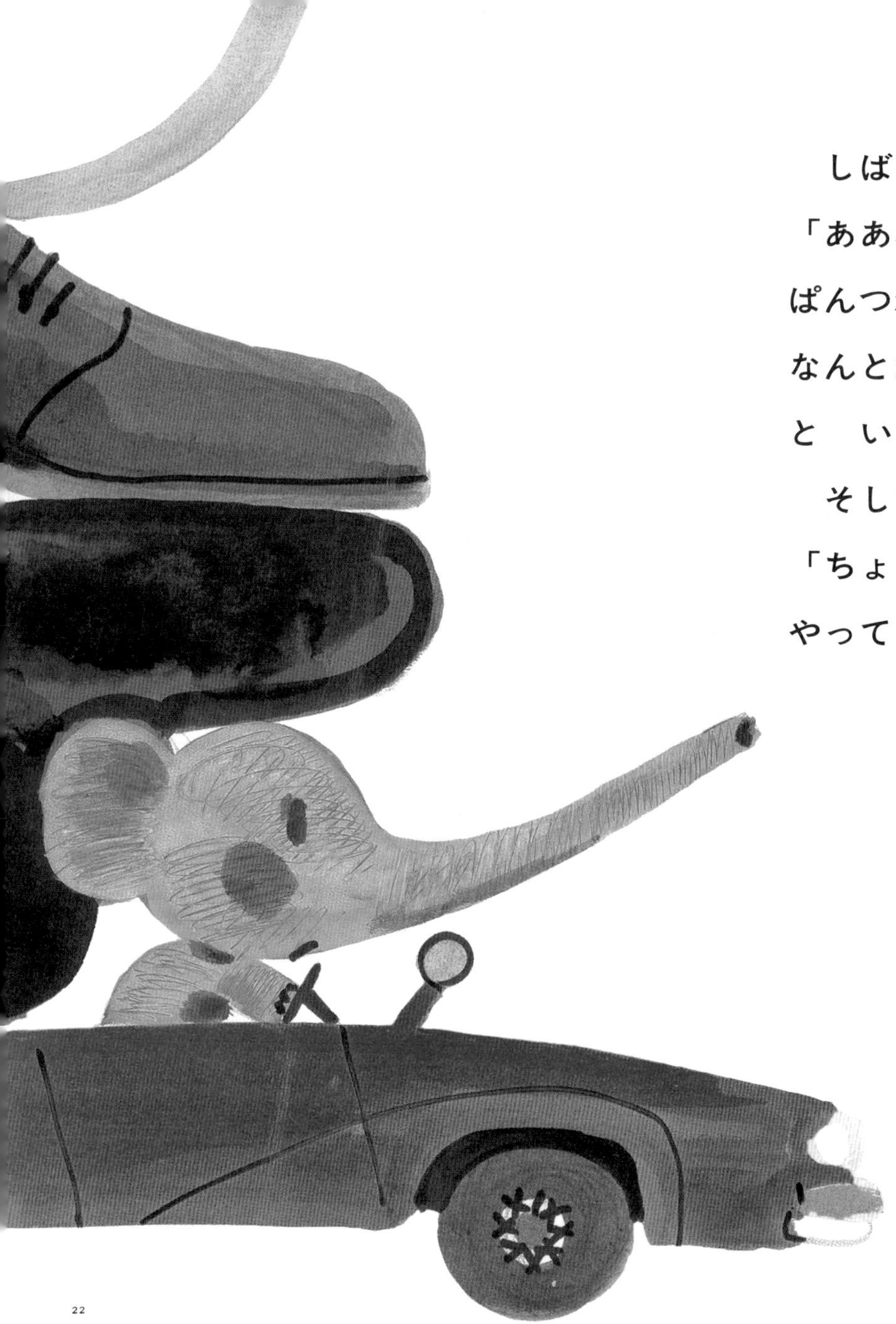

　しばらくいくと、12にんも　こどもがある　おかあさんが、
「ああ、いそがしい　いそがしい。しゃつが12まいに
ぱんつが12まい、えぷろんも12まいなら　くつしたときたら
なんと24！　いそがしい　いそがしい」
と　いいながら、せんたくしていました。
　そして、ぐるんぱを　みると、
「ちょっと　すみませんがね、こどもと　あそんで
やってくださいな」と　たのみました。

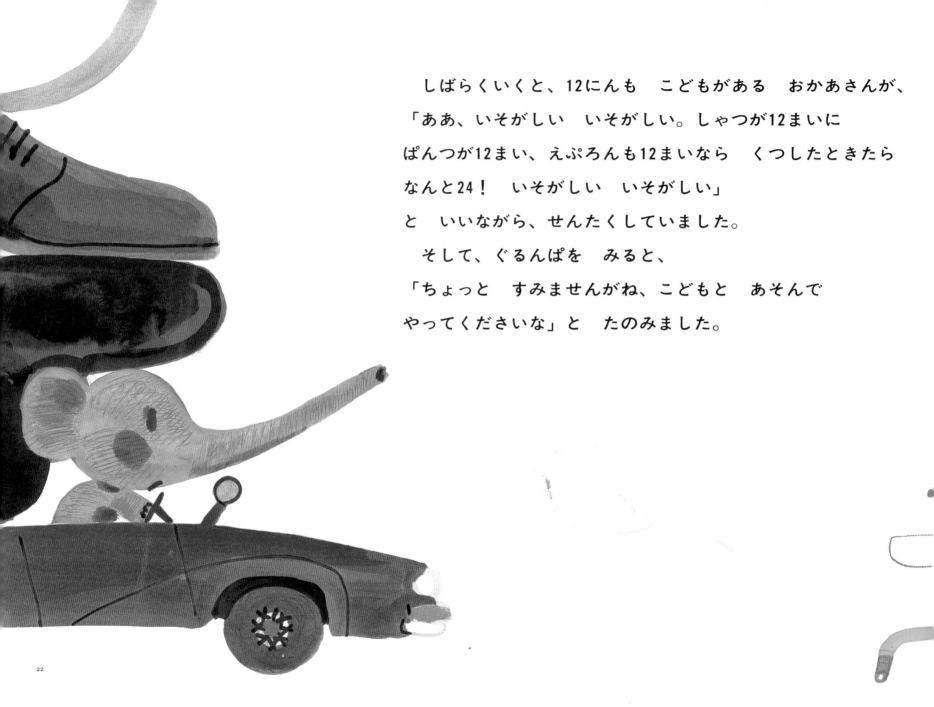

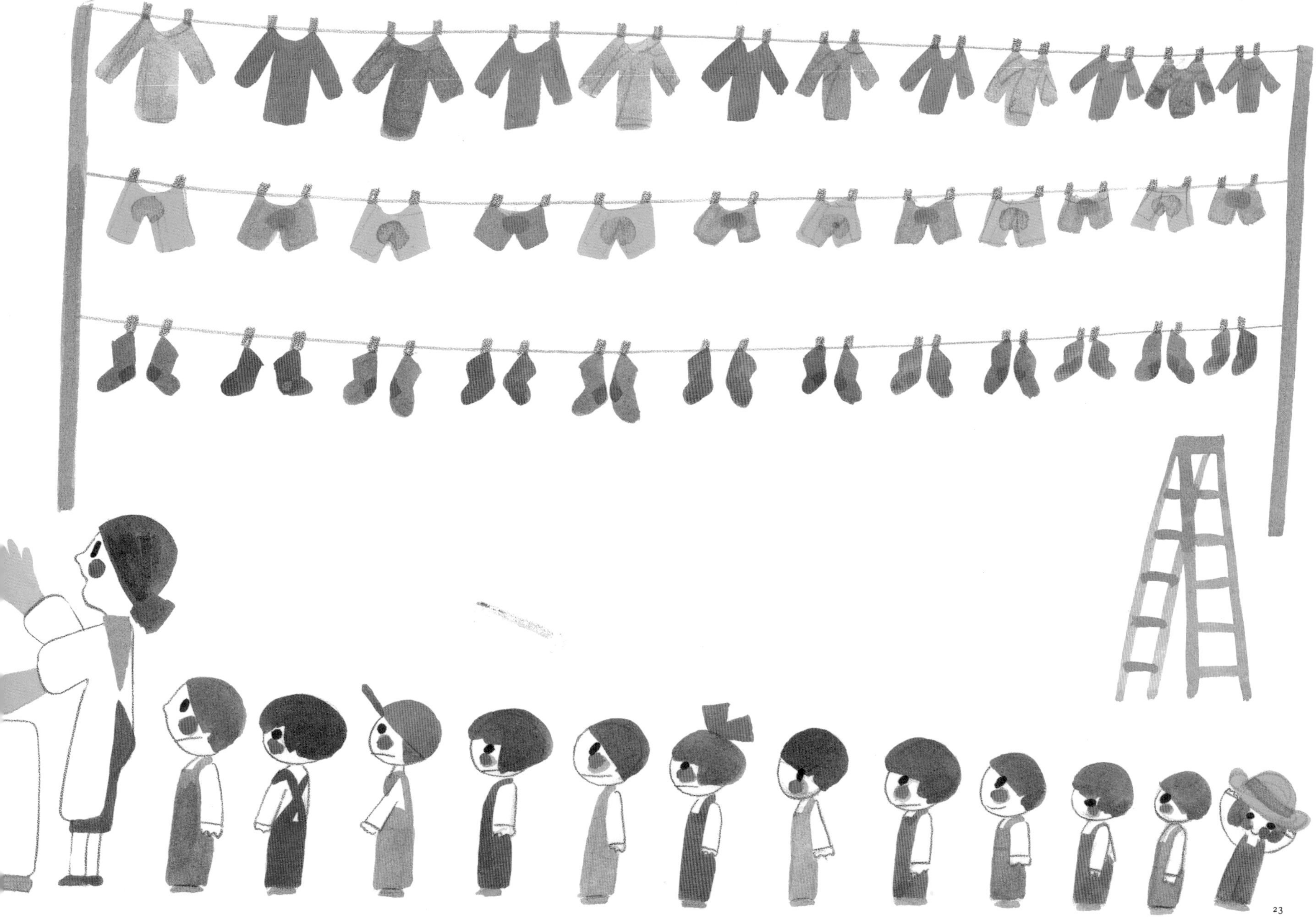

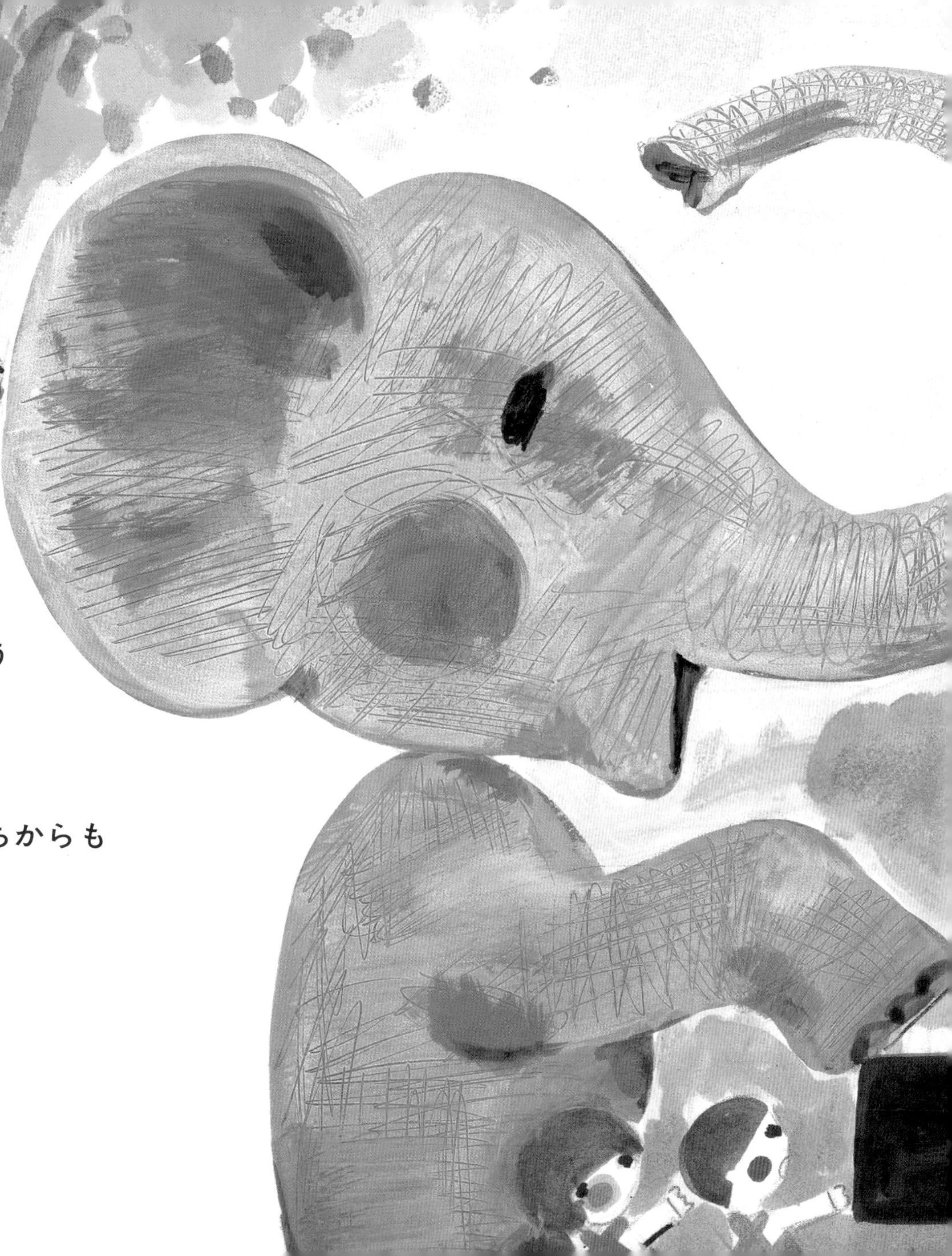

ぐるんぱは、ぴあのを　ひいて
うたいました。
——みーんな　ほっぺが　まっかだぞう
　おてては　どろんこ　まっくろだぞう
　ぼくは　おおきな　ぞうだぞう——
こどもたちは　おおよろこび。
うたを　きいて、あっちからも　こっちからも
こどもが　あつまってきます。
ぐるんぱみたいに　ひとりぼっちの
こどもも　たくさん　きました。
ぐるんぱは、びすけっとを　ちぎって、
こどもたちに　あげました。

ぐるんぱは、ようちえんを
ひらきました。
くつで　かくれんぼが
できました。
おさらに　みずを　いれて
ぷーるが　できました。

ぐるんぱは、もう
さみしくありません。
びすけっと、
まだ　たくさん
のこっていますね。

［作者紹介］

西内ミナミ（にしうち みなみ）
1938年、京都に生まれ、香川県（直島）、宮城県、秋田県などの海山で育つ。
東京女子大学卒業後、広告会社にコピーライターとして約10年勤務。堀内誠一氏のすすめにより、はじめての絵本として本書『ぐるんぱのようちえん』を書く。このほか絵本作品に『ゆうちゃんと めんどくさいサイ』『ごろごろどっしーん』(福音館書店)、『おもいついたら そのときに！』(こぐま社)、翻訳に『ポケットのないカンガルー』(偕成社) などがあり、幼年童話も多数発表。地域で子どもの読書推進運動にも永く関わっている。東京在住。

堀内誠一（ほりうち せいいち）1932～1987
東京に生まれる。グラフィックデザイナーとして、カメラ雑誌、ファッション雑誌などの編集美術を多く手がけ、イラストレーターとして絵本その他の児童書に活躍。絵本に『くるまはいくつ』『くろうまブランキー』『たろうのおでかけ』『たろうのひっこし』『こすずめのぼうけん』『パンのかけらとちいさなあくま』『てんのくぎをうちにいったはりっこ』『ちのはなし』(以上福音館書店)、童話のさし絵に『雪わたり』『秘密の花園』(以上福音館書店)、『人形の家』(岩波書店)、編著書に『絵本の世界・110人のイラストレーター（1）・（2）』(福音館書店) などがある。

ぐるんぱのようちえん　西内ミナミ　さく　堀内誠一　え

1965年5月1日　月刊「こどものとも」発行 ／ 1966年12月15日　「こどものとも傑作集」 第1刷 ／ 1998年12月15日　新規製版 ／ 2011年9月5日　第133刷
発行所　株式会社 **福音館書店**　113-8686 東京都文京区本駒込 6-6-3
電話：販売部 03（3942）1226　編集部 03（3942）2082　http://www.fukuinkan.co.jp/
印刷：精興社　製本：清美堂　NDC 913　28p　20×27cm　ISBN978-4-8340-0083-2

● 第122刷より、シリーズ名を「こどものとも傑作集」から「こどものとも絵本」に変更しました。
● 乱丁・落丁本は、小社出版部宛ご送付ください。送料小社負担にてお取り替えいたします。
● 紙のはしや本のかどで手や指などを傷つけることがありますのでご注意ください。